Chouquette
et la guerre mondiale
entre les Bons
et les Méchants

Galia Oz est née en 1964 en Israël. Elle a fait, à Tel Aviv, des études de cinéma et de télévision. Réalisatrice et scénariste, elle a tourné plusieurs documentaires. Elle est également critique littéraire et auteur de livres pour la jeunesse.

 Amandine Laprun est née en Champagne, puis a beaucoup voyagé pour ses études, de Reims à Budapest, en passant par Paris et Strasbourg. Aujourd'hui, elle a posé sa table à dessin à l'orée de la forêt, au pied de trois séquoias géants, et elle travaille en tant qu'illustratrice pour la jeunesse, scénariste pour la bande dessinée et intervenante au musée Tomi-Ungerer. Elle est également très investie auprès du collectif d'illustrateurs Le Grill.

À Testral et Vabou

Ouvrage originellement publié par les éditions Keter (Israël)
sous le titre : *Shakshouka Ve-Hamilkhama Ha-Olamit beyn Ha-tovim La-Raïm*.
© 2012, Galia Oz

© 2016, Bayard Éditions pour l'édition française
Tous droits réservés. Reproduction, même partielle, interdite.
ISBN : 978-2-7470-4784-5
Dépôt légal : mai 2016
Loi n° 49-956 du 16 juillet 1949 sur les publications destinées à la jeunesse.

Chouquette et la guerre mondiale entre les Bons et les Méchants

Une histoire écrite par Galia Oz
illustrée par Amandine Laprun
traduite de l'hébreu par Valérie Zenatti

bayard jeunesse

1

La guerre est déclarée !

La guerre entre les Bons et les Méchants a commencé quand Dylan a volé son porte-voix à Clémentine Soleil, la directrice, puis m'a poursuivie dans les couloirs de l'école en miaulant comme un chat. Des tas d'enfants couraient après nous en riant ; personne ne pensait alors que le porte-voix allait être perdu et qu'il faudrait le retrouver pour remporter la victoire, on voulait simplement se venger de Dylan qui m'embêtait encore, et c'est comme ça que la guerre a commencé. Zoé, Antoine et moi, on a décidé qu'on était les Bons, et que les autres étaient les Méchants.

Mais Julien n'était pas d'accord, parce que, ces derniers temps, il trouve que nous sommes des petits qui ne pensent qu'à faire des bêtises. Ça a peut-être un lien avec les cauchemars qu'il fait chaque nuit, je n'en sais rien, je sais seulement qu'il est contre les guerres. Moi, je lui ai dit qu'il n'avait pas le choix : quand une guerre commence, personne n'a le droit de rester sur le côté à regarder, tout le monde participe,

même Chouquette, qui est pourtant la chienne la plus gentille au monde. D'ailleurs, si on observe les directeurs d'école, ils sont exactement pareils, ils peuvent se montrer agressifs. Clémentine Soleil, par exemple, se met facilement en colère si on lui pique quelque chose comme son porte-voix ; elle est incapable de faire un pas sans lui, parce qu'il donne une force incroyable à sa voix, ça l'aide à maintenir l'ordre à l'école. Un jour, elle l'a même utilisé alors que j'étais tout près d'elle, elle m'a hurlé

de ramasser un emballage de chewing-gum qui n'était même pas à moi.

Sinon, il y a quand même des gens qui ne font pas la guerre, par exemple cet homme un peu fou que tout le monde appelle « Thé-à-la-menthe » parce qu'il en boit toute la journée en conduisant une camionnette ornée de drapeaux. Il vend toutes sortes de choses en essayant d'attirer les clients avec des chansons. Il roule lentement dans sa camionnette décapotée à l'arrière, sur laquelle il a accroché une pancarte où il est écrit : *À VENDRE, EXCELLENT ÉTAT*. Il crie des choses comme : « Chaussures de sport, aubergines, manteaux ! » Et parfois aussi : « Bougies, oignons, porte-monnaie pour dame, balais, machines à laver, machines à coudre ! » Ou bien il claironne :

Hommes, femmes, enfants,
Achetez ce qui vous manque,
Achetez ce qui vous chante.
C'est ici et maintenant !

Je n'ai jamais vu personne lui acheter quoi que ce soit, mais peut-être qu'il a des clients justement quand je ne regarde pas dans sa direction. De toute façon, il n'a aucun rapport avec cette histoire, qui a débuté au moment où Dylan, son copain Kevin et d'autres garçons ont chipé le porte-voix et m'ont couru après en miaulant comme des idiots. Dylan a même imité le hurlement d'un loup : « Wouhou ! »

C'était supportable tant que je me bouchais les oreilles avec mes mains, et tous ceux qui passaient par là éclataient de rire. Ensuite, c'est devenu pénible, j'ai essayé de les chasser, j'ai dit : « Ouste ! » comme on fait avec les chats trop collants, mais ça n'a pas marché, et, là, j'ai commis une grave erreur : j'ai pris mes jambes à mon cou, mais je ne cours pas aussi vite que Zoé, et le porte-voix faisait un boucan d'enfer dans les couloirs de l'école. Tout un troupeau d'enfants poursuivait Dylan et ses copains, qui eux-mêmes me poursuivaient ; j'ai bien cru que ça ne s'arrêterait jamais, que rien ni personne

ne viendrait à mon secours. Finalement, je me suis réfugiée dans une classe et je me suis bouché les oreilles en attendant qu'ils s'en aillent.

Plus tard, dans la cour, je me suis fâchée contre Julien, Antoine et Zoé qui n'étaient pas venus m'aider, mais les garçons ont dit que ce n'était pas leur faute, qu'ils n'étaient pas dans les parages au moment où j'avais été attaquée. Zoé, elle, se taisait, comme toujours.

À une époque, Dylan était très bagarreur, maintenant il est simplement embêtant. Julien, lui, c'est mon copain, il habite tout près de chez moi, et Zoé est ma cousine qui court plus vite que tout le monde et habite en face de chez moi. Antoine, enfin, bégaie vraiment beaucoup, et on n'a pas toujours la patience de l'écouter ; c'est pour ça qu'il invente des choses incroyables, afin d'attirer notre attention. Pendant la récré, il nous a dit que la directrice était furieuse et que, si Dylan ne rendait pas le porte-voix, elle demanderait à ses parents d'en payer un autre.

– Bien fait pour lui ! me suis-je exclamée.

– Et s'il le rend, elle ne le punira pas ? a voulu savoir Julien.

– Il ne le rendra pas, a dit Zoé.

– Qu'est-ce que tu en sais ? lui ai-je demandé.

– C'est bon, il n'a rien fait de grave ! a soufflé Julien. Il a juste poussé des miaulements. Ton chat aussi, il miaule !

Il est comme ça, Julien, il se moque toujours de tout. Mais, ces derniers temps, il a un problème : chaque nuit il rêve que quelqu'un le poursuit. Il s'enfuit aussi vite qu'il peut, mais ce n'est pas suffisant, et il se réveille en sursaut juste avant qu'on l'attrape.

Antoine a proposé qu'on fasse une nuit blanche tous ensemble, c'est-à-dire une nuit où l'on ne dort pas. On organiserait une cérémonie pour chasser les esprits, et on découvrirait ainsi qui cherche à attraper notre copain, mais Julien ne voulait pas en entendre parler.

– En fait, tu sais qui te court après ? lui ai-je lancé.

– Quelle importance ? C'est juste un rêve. Ça n'a pas de sens.

– Si tu savais de qui il s'agit, il te ferait moins peur.

– Chaque fois que je rêve, j'ai l'impression de savoir qui c'est, et puis ça m'échappe. C'est comme si j'avais son nom sur le bout de la langue.

– Il ne rendra pas le porte-voix, a répété Zoé, qui plane tellement qu'elle n'avait pas du tout suivi notre conversation.

On croirait qu'elle dort, y compris quand elle est réveillée, c'est pour ça que Julien l'appelle « Zoé tête-en-l'air ». J'ai posé la tête sur son épaule et j'ai fait mine de ronfler, pour bien lui faire comprendre qu'elle était dans la lune.

– La Terre parle à Zoé ! Vous me recevez ? a plaisanté Julien. Atterrissage du vaisseau demandé !

– Il ne rendra pas le porte-voix, a encore répété Zoé, butée, et son visage a pris une expression mystérieuse.

2

Attaque à la bombe à eau

Mes problèmes sont beaucoup plus petits que ceux de Julien. Si petits qu'on pourrait les faire entrer dans une poche, comme les deux pièces que j'ai trouvées sur le trottoir près de la maison et que je ne savais pas à qui rendre. En les entendant tinter, Antoine m'a dit de faire attention à ce qu'il ne m'arrive pas la même chose qu'à cet enfant du Zimbabwe qui avait reçu des pièces en cadeau. Il les avait fourrées dans sa poche sans savoir qu'elles étaient ensorcelées, et ça avait bouleversé sa vie. Il s'était soudain mis à faire des bêtises, alors que jusque-là il avait toujours été un enfant sage. Comme Antoine raconte sans arrêt des histoires, je n'ai pas pris sa mise en garde au sérieux. Évidemment que je n'allais pas changer de comportement à cause de deux pièces trouvées dans la rue ! Mais, tout à coup, une petite voix dans ma tête a chuchoté : « Et s'il avait raison ? Et si cette bagarre autour du porte-voix avait démarré à cause des pièces ? Si elles étaient maudites ? »

Dans l'après-midi, Antoine nous a appris à fabriquer des bombes à eau avec des feuilles arrachées à un cahier, puis il nous a dit qu'il ne restait plus qu'à trouver un ennemi sur qui les balancer. Nous sommes partis explorer le quartier, pleins d'entrain. Zoé portait un seau d'eau, Antoine trimballait les bombes. C'est alors que nous avons aperçu Dylan et Kevin qui jouaient au foot derrière l'immeuble. Dylan faisait le goal, et Kevin essayait de marquer des buts.

Julien a été le premier à comprendre ce qui allait se passer et il a lâché :

– Vous êtes folles !

Il faisait chaud. Le temps semblait comme suspendu : la Terre avait apparemment cessé de tourner en attendant que Dylan arrête le ballon que Kevin venait d'envoyer dans sa direction.

Comment comprend-on qu'on s'apprête à commettre quelque chose de mal ? Pas quelque chose de vraiment grave, mais, disons... de pas très bien non plus ? On pense : « Oh, ça va, c'est juste un peu d'eau... »

– Mais il ne t'a rien fait, a argumenté Julien, comme s'il lisait dans mes pensées.

– Si, hier, lui ai-je rétorqué, en repensant au porte-voix et à la meute d'enfants qui me couraient après.

– Tu devrais plutôt le remercier de ne plus te taper.

– C'est ça ! Et puis quoi encore ?!

Et c'est ainsi que je me suis retrouvée à remplir une bombe d'eau et à la balancer vers Dylan.

La bombe a explosé dans les airs. J'ai senti les pièces sautiller dans ma poche.

« Je suis comme cet enfant du Zimbabwe », ai-je pensé.

J'ai rempli une autre bombe, que j'ai aussi envoyée, et cette fois elle a explosé sur le dos de Dylan.

« Mais pourquoi j'ai fait ça ? » me suis-je inquiétée en regardant l'eau tremper ses cheveux et se répandre sur ses épaules.

J'ai tout de suite imaginé à quel point j'aurais eu peur si quelqu'un m'avait fait ça, seulement je n'ai pas eu le temps de regretter quoi que ce soit. Dylan s'est retourné et nous a vus. Zoé m'a attrapée par la main et m'a entraînée en courant. Elle a beau être tête en l'air, c'est ma cousine, elle me protège, et personne ne court aussi vite qu'elle, à tel point que je volais presque. Je crois même qu'on riait aux éclats. À un moment, j'ai jeté un coup d'œil derrière mon épaule pour voir si Dylan nous poursuivait, mais il était resté figé sur place, les cheveux dégoulinants. Kevin s'approchait de lui tout doucement, comme si lui non plus ne comprenait pas comment on avait osé faire une chose pareille. Même le ballon avait cessé de rouler. Et la Terre, apparemment, s'était de nouveau arrêtée en se demandant comment quelqu'un avait pu s'en prendre à Dylan. Et réussir à s'enfuir, en plus !

Mais, en fait, on ne s'était pas vraiment enfuies. Est-ce que quelqu'un peut échapper à Dylan ? On savait qu'il viendrait bientôt. On s'est arrêtées pour reprendre notre souffle près de la clôture de notre immeuble, et on a attendu là. Deux petites CP, Lili et Aminata, sont passées devant nous. On croirait un corps à deux têtes tellement elles sont inséparables. Antoine prétend que c'est exactement ça : à force de marcher collées l'une contre l'autre, elles sont devenues siamoises ; elles sont reliées de l'épaule jusqu'au coude, des médecins viennent du monde entier pour voir ce prodige. Seule l'une d'entre elles parle, c'est Lili. Quoi qu'on lui dise, elle répond : «On t'a sonné ?»

— Et si v-v-vous ne m-m-me croyez p-p-pas, regardez ! a ajouté Antoine.

Il s'est approché de Lili et Aminata pour leur demander quelle heure il était. Aminata, qui a

un visage de bébé, a commencé à se tordre de rire, comme si le bégaiement d'Antoine était la chose la plus drôle au monde, mais Lili est restée très sérieuse et a répliqué :

– Pardon, mais qui se permet de nous poser cette question ?

– M-m-moi, a répondu Antoine, et Aminata était si explosée de rire qu'elle a failli tomber, elle n'avait même pas honte ; on aurait cru qu'elle prenait Antoine pour un personnage de dessin animé rigolo.

Je ne sais pas comment elle arrive à rire comme ça, comme si rien de grave n'existait nulle part. Antoine a eu un petit sourire, il n'était même pas vexé ; ça ne le dérange pas qu'une petite de CP se moque de lui. Mais Lili a continué à le regarder avec des yeux sévères ; je ne comprends pas comment deux filles aussi différentes l'une de l'autre peuvent prendre l'apparence d'une seule fille avec quatre bras et quatre jambes. Enfin, c'est comme ça. Antoine dit que les maîtres et les maîtresses se fâchent souvent après Lili, mais ils n'osent pas la punir parce qu'Aminata est toujours collée à elle, et, s'ils envoient l'une chez la directrice, l'autre ira aussi ; grâce à cela, Lili échappe aux punitions.

Finalement elles sont parties sans répondre à la question d'Antoine, mais ça n'avait pas d'importance parce qu'il ne cherchait pas vraiment à connaître l'heure.

Dylan a surgi, et il a complètement ignoré les deux filles qui s'éloignaient – il n'en a rien à faire, des petits. Il a dit :

– Bon, vous vous doutez que la guerre est déclarée.

J'ai répondu :

– Bien sûr. Un à zéro pour nous.

– Super ! Et quand est-ce qu'on se bagarre ? est intervenu Julien.

Il avait dit ça pour se moquer de nous tous, pour nous faire comprendre qu'on était vraiment des gamins. Quoique... je me suis souvenue de ses cauchemars et j'ai pensé qu'il voulait peut-être vraiment se battre pour éviter que Dylan le poursuive dans ses rêves.

Dylan a protesté :

– Franchement, qui pourrait avoir envie de se bagarrer avec vous ? Vous n'êtes que des peureux ! Des bombes à eau, pfff ! C'est une arme de bébé, ça !

– On p-p-peut f-faire la guerre s-sans bombes à eau..., a riposté Antoine.

– OK, a dit Dylan en passant une main dans ses cheveux mouillés.

– Et sans se taper, ai-je ajouté.

– Ni se pincer, ni se griffer, ni se tirer les cheveux, a poursuivi Julien, de son ton moqueur.

– Une guerre très ennuyeuse, a conclu Kevin.

– M-m-moi, je d-dis qu'il f-faut faire une guerre m-m-mondiale, a proposé Antoine. Dans les airs, s-s-sur terre et sur m-mer.

On a l'habitude des idées d'Antoine, c'est pour ça qu'on ne fait pas attention à son bégaiement, mais seulement aux drôles d'histoires qu'il invente. Et même ses histoires, à vrai dire, on s'y est habitués, on les écoute à peine. Mais Kevin, lui, s'est enthousiasmé et s'est écrié :

– Ouais ! Une guerre mondiale !

– Mais avec des règles, a insisté Julien.

3

Pièces ensorcelées
et aiguilles à tricoter

Certaines personnes vivent sans se soucier des règles. Mon chat, par exemple : quand l'envie lui prend de sauter sur quelqu'un, il le fait toutes griffes dehors, sans raison. Ces derniers temps, il a même déclaré la guerre mondiale à Chouquette, alors qu'elle ne lui a rien fait. Il y a également le drôle de type qui passe souvent devant l'école et qu'on appelle « Thé-à-la-menthe » ; lui aussi semble vivre selon ses propres règles. Antoine dit qu'il a la bougeotte parce que, s'il reste sur place, il prendra racine dans la terre. Il a bu tellement de thé à la menthe qu'il est à deux doigts de se transformer en plante ! Un jour, il s'était attardé pour discuter avec des voisins quand il s'est aperçu qu'il était enraciné, comme un arbre, incapable de bouger ; il avait fallu faire venir une grue pour l'arracher au sol et, quand il avait été dans les airs, tout le monde avait pu voir les petites racines qui avaient poussé sous ses pieds. Après ça, il n'avait plus osé rester plus de cinq minutes à la même place. Voilà pourquoi, depuis, il roule lentement dans sa camionnette brinquebalante : l'essentiel pour lui, c'est d'être en mouvement. Et tout cela fait dire à Antoine que Thé-à-la-menthe vit en dehors des lois de la nature.

– Mais comment fait-il pour dormir la nuit ? a demandé Julien. On ne bouge pas quand on dort ! Les racines doivent se mettre à pousser à ce moment-là.

Antoine a expliqué que Thé-à-la-menthe dort dans un hamac suspendu entre deux arbres très hauts. Il possède une cage avec une dizaine de hamsters qui courent toute la nuit dans une roue reliée à une corde qui balance le hamac. Ainsi, Thé-à-la-menthe n'a aucun risque de prendre racine.

– Mais si les hamsters s'endorment ? a imaginé Julien, qui essaie toujours de trouver une faille dans les histoires d'Antoine.

– Oh, c'est un homme int-int-intelligent, T-t-thé-à-la-menthe ! Il a dressé son chien pour qu'il ab-ab-aboie chaque nuit à quatre heures, et à ce moment-là, si les hamsters se sont endormis, Thé-à-la-menthe se re-retourne et, si des racines ont p-p-poussé, elles se cassent.

Alors, Antoine s'est tu, et on a tous entendu Thé-à-la-menthe crier à l'autre bout de la rue :

– Un euro, tout à un euro ! Livres en suédois, cadres en bois, peintures sur soie...

– J'ai mes pièces ensorcelées ! me suis-je exclamée en les faisant sauter en l'air. Et si je m'achetais quelque chose avec ?

– Tu d-dois faire une b-b-bonne action avec, a dit Antoine. Co-comme ça, le sort disparaîtra.

– Tu n'as qu'à me les donner ! a proposé Julien en riant. Ça, ce sera une bonne action !

Nous sommes allés nous asseoir sur le balcon de Julien, près du fauteuil qui avait appartenu à sa grand-mère. Toutes les pièces de l'appartement étaient pleines d'adultes qui mangeaient des gâteaux et parlaient fort, mais personne n'est venu nous embêter. Sur le fauteuil, il y avait une couverture, des aiguilles à tricoter et une pelote de laine rose. Julien s'est souvenu de sa grand-mère qui, il y a une semaine à peine, tricotait une écharpe et racontait qu'elle était poursuivie par des Indiens et des Huns. Ce nom nous avait drôlement intrigués ! Julien avait regardé sur Internet et il avait rassuré sa grand-mère : la dernière fois que les Huns avaient attaqué quelqu'un, c'était il y a mille cinq cents ans. Mais l'information n'avait eu aucun effet sur elle, et elle avait gardé ses aiguilles à tricoter sur ses genoux, pour se défendre en cas d'attaque. En se souvenant de ce moment, Julien a éclaté de rire :

– Ah çà, c'est sûr ! Il n'y a rien de plus effrayant que de la laine rose !

Je lui ai dit de se taire parce qu'on n'a pas le droit de rire de quelqu'un qui est mort. En plus, j'avais l'impression que sa grand-mère pouvait nous entendre à travers la grande télévision qui était dans la chambre. (Il faut dire que la grand-mère de Julien était persuadée que les présentateurs de la télé pouvaient l'entendre, eux aussi, quand ils étaient sur l'écran !)

Antoine est resté silencieux et s'est contenté de remettre doucement la couverture bien en place sur le fauteuil.

Puis on a commencé à parler de la guerre qui nous attendrait le lendemain à l'école, une guerre avec des règles et sans coups, et on s'est demandé ce qu'on pouvait faire sans

enfreindre les règles. Antoine s'est souvenu d'avoir lu quelque chose sur un village du nord de l'Italie où une cargaison d'oignons rouges était tombée un jour dans le ruisseau. Les gens avaient bu l'eau du ruisseau, et ensuite ils s'étaient aperçus qu'ils n'avaient plus de mauvaises pensées sur personne. Le chef du village, qui détestait son voisin, lui avait subitement offert un bouquet de fleurs, et la grosse femme qui habitait près de la source avait cessé de crier sur ses enfants. Les deux ivrognes qui se battaient toujours avaient fait la paix, et ouvert ensemble une confiserie où ils vendaient des chocolats en forme de cœur. Ce village où tout le monde était gentil était devenu très énervant, particulièrement pour trois vieux qui avaient décidé de résister en ne buvant pas d'eau de la source. Ils tenaient à garder leurs mauvaises pensées. Chaque jour, ils s'installaient sur des chaises au milieu du village pour se raconter des histoires de sorcières avec une fin horrible et tirer la langue aux passants, car, disaient-ils, tout ne pouvait pas être parfaitement merveilleux en ce monde !

Julien a demandé à Antoine s'il voulait qu'on mette de l'oignon rouge dans la gourde de Dylan. Antoine a répondu : pourquoi pas, ça n'enfreint pas les règles en tout cas. Moi, j'ai dit qu'aucun oignon, ni rose ni vert, ne changerait quoi que ce soit à l'attitude de Dylan.

Julien nous a traités de bande d'idiots avec nos histoires d'oignons, de pièces ensorcelées, de guerre sur terre et sur mer ; on perdait notre temps avec ces bêtises.

– Et si, moi, je vous racontais une histoire ? a soudain dit Zoé.

– OK, vas-y.

– Finalement, non..., a murmuré Zoé, avec un visage de nouveau très mystérieux.

– C'est parce que tu n'as rien à raconter, a lancé Julien.

– Exact. Je ne fais pas de cauchemars, je n'ai pas de pièces ensorcelées, ni d'aiguilles à tricoter, ni de laine.

– Oh, mais qu'est-ce qui t'arrive ? me suis-je énervée. Pourquoi tu te vexes comme ça ? Allez, raconte !

– Laisse-la, a marmonné Julien d'un ton sans appel. Elle est vexée parce qu'elle n'a rien à raconter, et elle n'aura jamais rien à raconter, d'ailleurs.

Il peut être un peu méchant, Julien. Et il était sûrement fâché que Zoé ait parlé de la laine et des aiguilles à tricoter de sa grand-mère, qui vient juste de mourir. En tout cas, le résultat, c'est que Zoé s'est tue.

Le soir, à la maison, juste avant le coucher, Papa et Maman se sont dépêchés de ranger les jouets de mes petits frères jumeaux, Yoël et Yohann, qu'on appelle « les Yoyos » pour aller plus vite. Et pendant ce temps-là, les Yoyos faisaient exactement le contraire : ils éparpillaient leurs jouets au maximum.

« Tout le monde veut toujours le contraire des autres ; c'est sans doute ça qui engendre les guerres, ai-je pensé, en me balançant sur un fauteuil. Quoique... et le chat ? Il ne veut rien, lui. Pourtant, il est tout le temps en guerre. »

Le sommeil a commencé à m'envahir et à m'envelopper comme une couverture. J'étais si fatiguée que je n'avais même pas la force de bâiller. J'ai songé :

« On ne voit pas que Julien est triste, pourtant il l'est. Sa grand-mère était vraiment bizarre, mais, quand quelqu'un vous manque, c'est le genre de chose qui n'a plus aucune importance... »

4

Attrape-garçons

La journée du lendemain a mal commencé. Dès le matin, quelqu'un a cassé un verre dans la cuisine, un coussin s'est déchiré et tout son rembourrage s'est éparpillé dans l'appartement. Maman s'est énervée toute seule, puis contre la Terre entière, le Soleil, les étoiles et la Lune, et en particulier contre quiconque osait l'approcher. J'ai essayé de ne pas faire trop de bruit pour qu'elle ne se fâche pas contre moi. Le chat, lui, n'avait pas peur. Il a grimpé sur une chaise, a attendu que Chouquette passe près de lui, et lui a sauté dessus. J'ai expliqué à Papa que ce chat avait déclaré la guerre mondiale à Chouquette, dans les airs, sur mer et sur terre, et là, ce qu'on venait de voir, c'était la guerre aérienne. Papa a dit qu'en effet, le chat ressemblait à un avion de combat, tandis que Maman a grogné que ça ne la faisait pas rire du tout, et elle nous a demandé de nous éloigner des éclats de verre qui traînaient encore par terre. Ensuite elle s'est un peu calmée, elle a compris que ça ne servait à rien de s'énerver : la matinée était fichue, il fallait nettoyer et puis voilà. Alors elle a commencé à raconter des blagues pour ne pas trop déprimer et elle a conclu par :

– Vous voyez, avec un peu de colère et d'énervement, on arrive à régler tous les problèmes.

Avant de sortir de la maison, j'ai glissé mes pièces ensorcelées dans la poche de mon pantalon propre, mais elles me gênaient, alors je les ai mises dans la petite poche de mon sac à dos en laissant la fermeture éclair entrouverte.

Avec un peu de chance, je les perdrais, et il n'y aurait plus de problème. Je me suis aussitôt répété que des pièces ne pouvaient pas me faire changer d'attitude, puis je me suis souvenue que, la veille, j'avais balancé une bombe à eau sur Dylan et que nous étions en guerre, et j'ai à nouveau glissé les pièces dans ma poche. Je me suis dépêchée de sortir avant que quelque chose d'autre ne se casse à la maison. Sur le chemin, j'ai shooté dans une petite pierre et j'ai avancé comme ça, avec elle, jusqu'à l'école ; ça marchait plutôt bien jusqu'au moment où je l'ai perdue dans un buisson. À cet instant, j'ai croisé Antoine, Julien et Zoé, et je leur ai dit qu'on devait absolument retrouver le porte-voix.

– Pourquoi nous ? a demandé Julien.

– Parce qu'alors on pourra passer un marché avec Dylan : on rendra le porte-voix à la directrice à condition qu'il arrête la guerre.

– Mais où on va trouver ce porte-voix ?

– On va enquêter auprès de ceux qui ont été les derniers à le voir.

– Q-qui ? s'est enquis Antoine.

– Pas moi ! a répondu Zoé.

– Évidemment, pas toi. On parle de Dylan, là, lui ai-je rétorqué.

Julien a fait remarquer :

– Si Dylan savait où se trouve le porte-voix, il l'aurait déjà rendu à la directrice pour éviter qu'elle convoque ses parents.

– D-d-de toute façon, Dylan ne t-te dira rien, n-nous sommes en guerre.

En effet, nous étions en guerre. Dès que je me suis assise en classe, j'ai senti quelque chose me gratouiller l'épaule. J'étais sûre que c'était un insecte, ou un truc comme ça. Tout le monde a éclaté de rire en me voyant me tortiller pour m'en débarrasser. Quand j'ai enfin réussi, je me suis aperçue que c'était effectivement un cafard, marron et dégoûtant... en plastique. Aucun doute sur l'identité de celui qui avait déposé ce truc sur mon épaule ; d'ailleurs, Dylan, qui est juste derrière moi en classe, a fait semblant de chercher quelque chose d'important dans son cahier. J'ai eu envie de lui faire des trucs horribles, comme lui déchirer ses affaires ou lui tirer les cheveux, mais la colère me paralysait. Contrairement aux pièces, qui s'agitaient toutes seules dans ma poche...

Le soir, tout en jouant avec les Yoyos pendant que Papa préparait le repas, j'ai demandé à Chouquette :

– Pourquoi tu es si gentille tout le temps ? Il ne faut pas que tu te laisses faire. Bats-toi !

Yohann était assis près de moi, enroulé dans sa couverture violette. Il croquait dans une poire tout en m'écoutant sagement. Pendant ce temps, Yoël essayait d'attraper une mouche près de la fenêtre. Chouquette a posé la tête sur mon genou et m'a regardée droit dans les yeux.

– Certaines personnes ne gagneront jamais, parce qu'elles n'osent pas être méchantes, lui ai-je dit.

Mais ça, c'était le soir. Avant, il s'était passé plein d'autres choses à l'école. Pendant la récré, tout le monde parlait du fait que la directrice avait convoqué les parents de Dylan la semaine prochaine. *A priori*, elle ne supportait pas de vivre sans son porte-voix ; elle était persuadée que les élèves se le passaient de classe en classe, et ça la rendait malade de se dire que d'autres qu'elle pouvaient l'utiliser. Mais Dylan n'a pas pris peur. Kevin et lui se sont cachés derrière les escaliers et, au passage de Zoé, ils ont poussé des hurlements de loup pour l'effrayer, puis ils ont fait sentir de la poudre à gratter à Antoine en prétendant qu'elle avait une odeur de chocolat et d'orange.

Une fois qu'Antoine a eu fini d'éternuer, il a déclaré que Dylan avait dû cambrioler une boutique de farces et attrapes du genre « Mille choses à deux euros qui pourriront la vie de tes copains », et Zoé, en ouvrant des yeux tout ronds, a demandé s'il y avait vraiment un magasin qui s'appelait comme ça. Antoine a répondu qu'encore, ce n'était rien, ça ; il existe des magasins bien plus bizarres. À Londres, par exemple, il y a un magasin où on ne vend que des gâteaux au chocolat et des robes de mariées brodées de silhouettes de rats. La boutique ouvre deux fois par an, mais certaines jeunes filles n'acceptent de se marier qu'à condition d'avoir une robe qui vienne de là, c'est pourquoi, chaque fois qu'elle ouvre, il y a une queue immense devant, et on distribue aux gens des gâteaux au chocolat pour passer le temps.

Tout le monde a ri, à part Julien, qui n'a même pas souri. Je l'ai regardé longuement pour essayer de deviner s'il y avait des rats dans ses cauchemars, mais je n'ai pas eu le temps de me faire une idée parce qu'une partie d'attrape-garçons a commencé. Le but, c'est que les filles attrapent les garçons, bien sûr, mais on ne gagne rien, on est juste contente pendant quelques secondes, et le jeu continue. Il n'y a pas de points, pas d'arbitre, les garçons s'enfuient, les filles essaient de les attraper, et c'est tout. De loin, on a l'impression que tout le monde court après tout le monde, mais ce n'est pas vrai.

Quand Zoé participe, personne n'a aucune chance face à elle. Même si elle n'est pas très grande, c'est elle qui court le plus vite de toute l'école, et elle attrape tous les garçons. Aujourd'hui, il n'y a pas eu beaucoup de participantes, et il a fallu gambader deux fois plus pour attraper les garçons. J'ai essayé avec Dylan, mais je n'ai pas réussi, alors j'ai demandé à Zoé de le faire à ma place, et elle y est parvenue en deux secondes. Elle l'a retenu par son tee-shirt jusqu'à ce que j'arrive.

– C'est pas juste, vous n'avez pas le droit d'être deux contre un ! a-t-il protesté.

– On n'est pas deux contre un. Zoé t'a attrapé, et moi, je veux juste te poser une question.

– Tu auras le droit de me poser une question quand tu m'auras attrapé.

J'ai rétorqué :

– Ben... Zoé t'a attrapé pour moi !

– Alors, c'est elle qui doit poser la question.

– Demande-lui où est le porte-voix, ai-je dit à Zoé.

– Julie demande où est le porte-voix, a dit Zoé, tout en continuant à serrer le tee-shirt de Dylan, qui a répondu :

– Si on ne le rend pas, la directrice convoquera mes parents la semaine prochaine.

– Mais qu'est-ce qui lui est arrivé après que vous m'avez poursuivie en miaulant ?

– On l'a laissé dans la cour, je ne sais pas ce qui s'est passé ensuite. Ah si ! On a vu deux petites de CP jouer avec.

– C'était qui ?

– Je ne sais pas comment elles s'appellent. Lila et Kalamata, peut-être.

– Qui ça ?

Il a hésité :

– Non, ça doit être Nini et Fatoumata.

– Tu veux dire Lili et Aminata ?

– Oui, quelque chose comme ça.

– Et qu'est-ce qu'elles faisaient avec le porte-voix ?

– Je leur ai posé la question. Y en a une qui a ri, et l'autre qui m'a demandé si on m'avait sonné.

– Bon, tu peux le libérer, ai-je dit à Zoé. Il ne sait rien, comme toujours.

Zoé a lâché le tee-shirt de Dylan. Alors, Kevin a surgi :

– Ça y est ? La guerre est finie ?

– Si vous vous rendez, oui.

– Jamais de la vie ! a riposté Dylan, qui est toujours un peu différent dès que ses copains sont dans les parages.

Julien et Antoine nous ont rejoints. Ce dernier a bégayé :

– A-a-alors ce sera une guerre ét-ét-éternelle ! Jusqu'à la fin des t-t-temps !

– Jusqu'à ce qu'on gagne, plutôt, a affirmé Dylan.

– Mais comment on saura qui a gagné ? a demandé Julien.

J'ai répondu :

– Le premier qui trouve le porte-voix a gagné.

Nous sommes partis à la recherche de Lili et Aminata. Elles étaient en train de dévorer un paquet de bonbons à la pastèque. Ou, plutôt, Lili sortait les bonbons du paquet et les donnait à Aminata. Nous sommes arrivés au moment où cette dernière gobait un bonbon tandis que Lili disait :

– Miam... C'est bon...

– Comment tu sais que c'est bon ? lui a demandé Zoé. C'est Aminata qui les mange !

– Et alors ? On t'a sonnée ?

– Oh non, moi, on ne me demande jamais mon avis..., a soufflé Zoé.

– Très bien, alors tais-toi, a conclu Lili, tandis qu'Aminata rigolait, la bouche pleine.

Je les ai examinées. Elles sont tellement bizarres ! Quand Aminata sourit, elle ressemble à une fée de dessin animé, on a envie de lui caresser la tête, comme à Chouquette. Et Lili est minuscule, c'est presque la plus petite de l'école, pourtant elle ose tenir tête aux plus grands. Peut-être qu'elle aussi possède des pièces ensorcelées, et c'est pour ça qu'elle est en guerre tout le temps.

– Comment vous réussissez à passer autant de temps ensemble ? ai-je demandé.

– Et toi, comment tu réussis à être aussi casse-pied ? m'a rétorqué Lili.

Julien est intervenu dans la conversation :

– Il faut qu'on sache où se trouve le porte-voix. Sinon, un garçon de notre classe va avoir des ennuis.

Constatant que la technique de Julien ne marchait pas, je lui ai donné un coup de coude discret, et j'ai répondu à Lili :

– Je me fiche de savoir ce qui est arrivé au porte-voix.

Elle a ouvert la bouche pour dire quelque chose, mais je ne lui en ai pas laissé le temps. J'ai pointé un doigt menaçant vers elle :

– Ne me raconte rien, d'accord ?!

– Beaucoup d'enfants voulaient le porte-voix, a commencé Lili. Ils étaient jaloux qu'on l'ait trouvé.

– Je n'entends pas, je n'entends pas ! ai-je chantonné en me bouchant les oreilles.

– Tout le monde criait, poussait, ils voulaient tous le toucher, a poursuivi Lili.

Je lui ai tourné le dos en continuant à me boucher les oreilles.

– Alors on a décidé de ne le donner à aucun de ceux qui se bousculaient et faisaient du bruit. Et, finalement, on l'a donné à quelqu'un qui ne parle presque jamais.

Je me suis retournée pour lancer à Lili :

— Ça ne m'intéresse pas du tout de savoir à qui tu l'as donné.

Mais Zoé a demandé :

— À qui tu l'as donné ?

Grave erreur. À partir du moment où Lili a compris que ce qu'elle racontait nous intéressait, elle s'est tue.

5

Bras de fer

Julien a soupiré :

– On n'a presque pas d'indices.

C'était le soir, et nous étions assis sur son balcon. Le fauteuil de sa grand-mère était à la même place, avec la couverture à carreaux, mais quelqu'un avait enlevé les aiguilles et la pelote de laine. La maison était encore pleine de gens venus présenter leurs condoléances, mais personne ne sortait sur le balcon. Julien a continué :

– On sait juste que c'est d'abord Dylan qui a eu le porte-voix, puis Lili et Aminata. Ensuite, tout le monde le voulait, mais les filles l'ont donné à un enfant qui ne parle presque jamais.

Zoé est intervenue :

– Je connais quelqu'un comme ça.

– Qui ?

– Moi.

– Lili t'a donné le porte-voix ?!

– Non, a répondu Zoé, mais sur son visage il y avait le sourire de quelqu'un qui cache trente kilos de chocolat aux noisettes sous son oreiller.

Je me suis dit qu'on l'entendait beaucoup, ces derniers temps, pour quelqu'un qui ne parle pas.

Ensuite, Antoine s'est mis à nous raconter l'histoire de son voisin qui travaille au zoo. Il a dit que le zoo était en travaux et que tous les employés avaient dû héberger des animaux chez eux. On leur avait promis que ça ne durerait que quelques semaines. Le voisin se plaignait, parce qu'on lui avait confié l'éléphant le plus gros, qui prenait énormément de place dans son appartement et utilisait toute l'eau chaude pour se laver. Le seul avantage, c'est qu'on pouvait étendre le linge sur lui, ça séchait très vite.

– Un jour, ma grand-mère aussi a cru voir un éléphant, dans l'ascenseur, a murmuré Julien. Et, la plupart du temps, elle croyait qu'il y avait des gens qui l'espionnaient à travers les tuyaux...

Il y a eu un grand silence, on tendait tous l'oreille pour essayer d'entendre des bruits dans

les tuyaux, de déceler la présence des gens qui écoutaient la grand-mère de Julien. Et en même temps on faisait tous semblant de penser à autre chose. Alors on a entendu, à l'autre bout de la rue, Thé-à-la-menthe qui s'écriait :

– Escargots, clémentines, trousses, planches en bois, en promotion aujourd'hui !

J'ai demandé à Julien :

– Dis, tu rêves toujours que quelqu'un veut t'attraper ?

– Oui, mais il ne court plus. Il marche derrière moi, lentement. Il bouge à peine. C'est moi qui me mets à courir le plus vite possible, et il arrive tout de même à me rattraper.

Comme tout le monde se taisait, Julien a tenté de nous rassurer :

– Oh, arrêtez de vous inquiéter. Ce n'est pas important, les rêves.

Mais Antoine a répété qu'il fallait absolument qu'on fasse une nuit blanche tous ensemble, comme ça on pourrait chasser le cauchemar. Julien n'y croyait pas trop, mais il a accepté qu'on vienne tous dormir chez lui ; on a décidé que ce serait vers la fin de la semaine, quand il y aurait moins de monde dans son appartement pour les condoléances.

Le lendemain, après la deuxième heure de cours, Dylan, Kevin et leurs copains ont poussé leurs tables vers la mienne, ils m'ont carrément encerclée, et j'ai dû escalader les tables pour sortir en récré.

Pour nous venger, nous avons kidnappé Kevin. Zoé et moi l'avons attendu près des robinets et, quand il a eu fini de boire, on a bloqué le passage, on l'a attrapé chacune d'un côté, et on l'a traîné en chantant des chansons tout le long du chemin. Kevin avait l'air troublé ; il n'a même pas protesté. C'est un grand timide, c'est pour ça qu'il est toujours avec Dylan ; ça lui donne un peu confiance d'être avec un gros dur.

– N'essaie pas de t'enfuir, Zoé court plus vite que toi ! lui ai-je dit.

Mais il n'essayait pas de s'enfuir.

– Et ne te fais pas d'illusions : ici, il n'y a pas de super-héros ou de footballeur super fort qui volera à ton secours.

On l'a entraîné jusqu'à la bibliothèque, qui est toujours vide à cette heure-là, et on a tiré les stores pour que personne ne puisse nous voir de l'extérieur.

– Ça ne sert à rien de kidnapper Kevin, a grommelé Julien, qui nous attendait là. Personne ne s'apercevra de sa disparition. Déjà qu'on ne le remarque jamais... on oubliera juste qu'il existe.

– Non, c'est pas vrai, on n'oubliera pas que j'existe ! a pleurniché Kevin.

On n'avait pas imaginé qu'il oserait nous parler, vu qu'il était sans ses copains et qu'on était ses geôliers. Et puis, on ne savait pas très bien quoi faire, alors Zoé a commencé à jouer au morpion avec lui. Si on n'était pas en guerre totale contre lui, dans les airs, sur mer et sur terre, on aurait cru que ces deux-là étaient les meilleurs amis du monde.

Puis ils ont commencé à jouer au bras de fer, et Kevin a dit :

– Je sais ce que vous cherchez à savoir, mais je ne vous raconterai rien.

– Qu'est-ce que tu ne nous raconteras pas ?

– Ces filles, là, Mimi et Fatoumata, je ne les connais même pas.

– Lili et Aminata.

Pendant ce temps, Zoé poussait de toutes ses forces pour gagner le bras de fer, et le visage de Kevin était tout déformé et très rigolo tant il faisait d'efforts, mais il a tenu le coup.

– Bon, qu'est-ce qui s'est passé avec Lili et Aminata ?

– Eh bien, Fifi et Taminata m'ont donné le porte-voix...

Zoé a poussé un cri et a plié le bras de Kevin, qui a encore tenu bon : sa main était tout près de la table mais ne la touchait pas.

Julien s'est exclamé :

– Bien sûr ! Elles ont dit qu'elles avaient donné le porte-voix à quelqu'un qui ne parle presque jamais. C'est toi !

Zoé lui tordait complètement le bras, elle semblait sur le point de s'effondrer sur la table. Mais Kevin tenait toujours bon. Ils ont décidé que c'était match nul et ont recommencé, assis face à face, le coude sur la table, main dans la main.

– Lili et Aminata t'ont donc donné le porte-voix. Pourquoi tu ne l'as pas rendu à la directrice ? ai-je demandé. Tu savais que Dylan aurait des ennuis s'il était perdu...

– C'est parce que...

– Tu n'as qu'à dire qu'il a disparu, c'est tout, lui a chuchoté Zoé.

Je rêvais, ou quoi ? Pourquoi lui disait-elle ça ?

– Ben... il a disparu, et c'est tout, voilà, a répété Kevin.

À cet instant, Zoé a réussi à pousser le bras de Kevin jusque sur la table, et c'est ainsi qu'elle a remporté la partie de bras de fer. J'ai bien vu que ses yeux lui disaient : «Arrête, ne leur raconte rien de plus, s'il te plaît», mais je n'ai pas eu le temps de me poser de questions, parce qu'il y a eu un grand bruit dans la cour ; Julien a tiré le rideau, et on a vu Dylan, debout près de la fenêtre, qui essayait d'apercevoir ce qui se passait dans la bibliothèque. Julien a ouvert la fenêtre pour lui dire :

– Si tu cherches notre otage, c'est pas la peine, oublie-le.

Et Zoé a crié :

– Il restera ici jusqu'à ses 62 ans !

Et moi, j'ai crié :

– Il restera ici jusqu'à ce que vous déclariez forfait. Alors ?

J'ai senti les pièces qui se réveillaient dans ma poche. Mais Dylan a rigolé et il a rétorqué :

– Nous aussi, on a un otage.

Julien s'est retourné vers moi, j'ai regardé Zoé, et on s'est demandé : « Mais où est Antoine ? »

– Restez avec Kevin, ai-je recommandé à Julien et Zoé, et je suis sortie en courant.

Je savais bien que je ne pourrais pas libérer Antoine toute seule, mais les pièces ensorcelées sautillaient de joie dans ma poche. Chouette, la guerre !

La prison d'Antoine n'était pas une vraie prison avec des murs, mais juste un coin derrière les jeux dans la cour des petits. Antoine était assis et racontait aux trois copains de Dylan qui le surveillaient qu'il y avait deux nouveaux merles dans le jardin de l'école, qu'ils s'appelaient Sloupy et Blouzy, et qu'ils avaient besoin de dix-huit kilos de graines par jour.

Dylan est arrivé en courant.

– Si vous libérez Kevin, a-t-il dit, nous libérerons Antoine.

– N'acc-cc-ccepte aucun ac-ac-accord avec lui ! s'est écrié Antoine. Mieux v-vaut que vous me l-l-laissiez dans cette prison p-p-pour l'éternité.

Il a poursuivi en disant qu'il ne fallait pas céder face aux forces du mal, qu'il pouvait s'arranger pendant plusieurs années si on lui envoyait des bonbons à travers les barreaux de sa cellule et si on lui apportait un parapluie en hiver.

– Oui, mais tu auras du mal à supporter de voir ces gars-là jouer au foot toute la journée devant toi. Ça risque de te donner des crampes au cerveau.

– Qu'est-ce qui vaut mieux ? a lancé Dylan. Ça, ou avoir en permanence sous les yeux un balai avec des cheveux de paille noire ?

À ces mots, les copains de Dylan ont éclaté de rire.

– Si je suis un balai, ai-je riposté, alors toi, tu es un mouton.

– Et toi, une poule, ma poule !

Les copains de Dylan se tenaient les côtes tellement ils riaient, mais je n'ai pas fait attention à eux.

– Le pays dans lequel nous vivons est trop petit pour contenir toute ta bêtise. Si on prenait un sous-marin vide et qu'on le remplissait avec ta bêtise, il coulerait aussitôt tellement il deviendrait lourd !

J'ai remarqué qu'Antoine était étonné par mon imagination.

Alors j'ai continué :

– Et si on mettait ton cerveau dans une mont-golfière, elle s'élèverait dans le ciel en trois secondes, tu sais pourquoi ?

– Pourquoi ?

– Parce qu'il ne pèse pas plus lourd qu'une plume.

– OK, dis adieu à ton otage, a répondu Dylan. On vous le rendra à son soixante-deuxième anniversaire.

Je me suis approchée de l'échelle derrière laquelle ils avaient placé Antoine, comme si c'était une vraie prison, et je lui ai raconté à voix basse :

– On sait déjà que Lili et Aminata ont donné le porte-voix à Kevin, qui l'a perdu. On l'a inter-rogé longuement, on n'a plus besoin de lui.

Plus fort, j'ai ajouté :

– On fait un échange de prisonniers, et la guerre continue !

Et j'ai fait signe à Julien, qui ne m'avait pas quittée des yeux depuis la fenêtre de la bibliothèque, d'amener Kevin. C'est ainsi qu'on a procédé à l'échange de prisonniers.

– Tu sais quoi ? m'a dit Julien, quand on est rentrés de l'école. Tu ne le détestes pas du tout, Dylan.

Zoé marchait derrière nous en marmonnant quelque chose.

– Mais si, je le déteste.

Zoé continuait de marmonner :

– *Jdirien, jdirien, jdirien.*

– Tu cherches le porte-voix pour le sauver, a poursuivi Julien.

– Mais non, c'est pour gagner la guerre. On a dit que celui qui trouverait le porte-voix aurait gagné.

Julien sait vraiment être méchant, parfois. Il a fait semblant de tenir un porte-voix et a crié, comme s'il avait toute une foule devant lui :

– Pas d'inquiétude, Dylan, Julie va te sauver !

– C'est ça, continue de dire des bêtises autant que tu veux. Mais souviens-toi qu'on ne peut pas sauver Dylan. Il est bouché, et il restera bouché toute sa vie.

– *Jdirien, jdirien*, a poursuivi Zoé.

– OK, alors ne dis rien, lui ai-je répondu.

6

Action ou vérité ?

De toutes les heures de la journée, la plus agréable est celle où on rentre à la maison, où on se déchausse et où on abandonne ses chaussures par terre, comme deux petits corps fatigués après une longue marche. J'étais allongée près de Chouquette et je la caressais. Non loin de nous, le chat nous regardait d'un air que je n'arrivais pas à déchiffrer… enfin, si : comme s'il n'en avait rien à faire de nous. Chouquette nous contemplait à tour de rôle, de son regard triste et rempli d'amour.

Maman a levé la tête de son livre pour dire :

– Ce chat donne l'impression de se traîner, comme une péniche qui transporterait une cargaison très lourde.

– Moi, il me fait plutôt penser à un navire de guerre, ai-je répondu. Ou à un bateau pirate.

Et en effet, à cet instant, le bateau a attaqué Chouquette, sauf qu'à la place des canons il avait des griffes. Maman a dit que, là, c'était juste pour jouer. J'ai répliqué que, pour ce chat, la guerre et le jeu, c'est la même chose.

– Et alors ? a demandé Maman. Tu as vu comme il est beau ? Quand on est aussi beau, on n'a pas besoin d'être gentil.

– Tu devrais avoir honte de dire des trucs pareils ! me suis-je exclamée, même si je sais que c'est le genre de plaisanterie qu'elle aime bien.

Mais elle a poursuivi sur sa lancée :

– Peut-être qu'un chat normal doit être gentil, mais un beau chat a le droit de faire ce qu'il veut.

– Heureusement que la directrice de l'école ne t'entend pas.

– C'est sûr. Elle veut certainement que tout le monde se comporte bien, tout le temps.

Maman avait raison, bien entendu. La directrice est vraiment comme ça. Aujourd'hui, Antoine a décidé de se venger des méchants qui l'avaient kidnappé. Il a pris une pancarte, a dessiné Dylan et, au-dessus, il a écrit : *Quelqu'un aurait-il trouvé son cerveau ?*

À la fin des cours, on a accroché la pancarte sur le tableau des annonces, dans l'entrée, et tous ceux qui passaient devant étaient morts de rire parce que c'était vraiment très ressemblant, mais Clémentine Soleil est

vite venue voir d'où provenait tout ce bruit. Elle a arraché la pancarte sans prononcer un mot, et elle n'a même pas voulu nous écouter quand on lui a dit que c'était de l'art moderne ; elle a rétorqué que vexer les autres, ça ne pouvait pas être de l'art. Julien a répliqué que faire un dessin, ça l'était tout de même un peu plus que de se battre.

À part ça, aujourd'hui, il ne s'est rien passé, et j'avais du mal à me rappeler comment on

s'occupait avant que n'éclate la guerre mondiale dans les airs, sur mer et sur terre. À la maison, il ne s'est pas passé grand-chose non plus, à part le fait que Yoann a réussi à ouvrir un pot de cannelle et l'a renversé sur le linge propre, tout juste sorti de la machine, tandis que Yoël, allongé sur le tapis, essayait de compter les poils de la queue de Chouquette. Le chat s'était endormi, mais, même en plein sommeil, il avait l'air méchant. J'ai demandé à Maman si elle

n'avait pas oublié que j'allais faire une soirée pyjama chez Julien le lendemain et elle s'est écriée :

– Quoi ?! C'est déjà le week-end ?

Cette soirée pyjama a été une vraie nuit blanche. On a essayé de préparer un gâteau, mais on a fait tomber la farine par terre et, même après qu'on avait balayé, tout était encore blanc, y compris nos vêtements ; heureusement que les parents de Julien et sa sœur dormaient profondément, personne ne nous a entendus. Tard dans la nuit, quand Zoé a commencé à bâiller, on a essayé de trouver quelque chose pour se couvrir et on s'est installés sur le balcon. Antoine s'est mis à raconter une histoire effrayante sur un enfant qui traînait dans les cimetières la nuit, pour sauver ses amis ou trouver un trésor, je ne sais plus très bien. Il avait senti soudain des doigts glacés sur son cou. Il s'était retourné vivement : un fantôme était là, derrière lui !

Nous tremblions tous de peur, car Antoine peut être un très bon conteur ; on s'y croirait, on oublie même qu'il bégaie. Plus l'histoire fait peur, plus Antoine semble joyeux, et, là, il en rajoutait pour nous faire plaisir aussi, parce que c'est bon d'avoir peur de temps en temps. Il y avait des tas de fantômes, et des chauves-souris qui fonçaient sur les gens du haut des arbres en poussant des cris stridents, et des diables aux oreilles si pourries qu'elles étaient vertes. Antoine a terminé en affirmant que les histoires d'horreur pouvaient chasser les cauchemars, comme dans les cérémonies d'exorcisme : on chasse quelque chose de mauvais avec quelque chose de plus mauvais encore.

Julien a dit qu'il ne croyait rien de tout ça, et que, de toute façon, l'histoire d'Antoine ne lui faisait pas peur.

– Ouais, c'est ça ! ai-je soufflé. Je t'ai bien vu, tu as retenu ton souffle, comme nous tous !

Et puis on a commencé à jouer à « Action ou

vérité ». On a fait tourner la bouteille, qui s'est arrêtée sur lui.

– Et alors, à quoi ça servirait que j'aie peur ? s'est-il énervé. C'est pas ça qui va chasser mes cauchemars ! Ils sont là, chaque nuit, que je le veuille ou pas. C'est comme ma grand-mère : elle est morte, point. C'est pas vos jeux et vos histoires débiles qui vont régler ça.

– M-mais, justement, c'est ta grand-mère qui inv-inventait des histoires, a bégayé Antoine. Les g-gens qui écoutaient d-dans les murs, les v-voleurs partout...

– Oui, c'est vrai, ça. Si ta grand-mère inventait des histoires, Antoine a le droit de le faire aussi, a plaidé Zoé.

« Eh bien, elle est devenue drôlement bavarde », me suis-je dit en regardant ma cousine.

Antoine a juré qu'il n'inventait jamais rien. Il a dit que, si on voulait, il pouvait nous montrer où se cachaient les chauves-souris et aussi quelques petits diables, mais Julien avait

continué à faire tourner la bouteille, qui s'est arrêtée devant Zoé.

– Action ou vérité ?

– Vérité.

– Où est le porte-voix ? ai-je demandé, alors que c'était au tour de Julien de poser une question.

– Il n'est plus chez moi.

Et Zoé nous a tout expliqué...

Elle s'était dit que ça pouvait être marrant d'être bruyante, juste le temps d'une journée. Elle avait vu que Dylan essayait de se débarrasser du porte-voix, mais elle avait peur de le lui demander. Elle était donc allée voir Lili et Aminata, qui l'avaient récupéré ; seulement les deux CP avaient décidé de le donner à la seule personne qui n'avait rien demandé : Kevin ! Zoé s'était dit que, si Kevin pouvait faire du bruit, elle aussi en avait le droit !

Elle l'avait suivi jusqu'aux robinets dans la cour et avait réussi à le persuader de lui donner le porte-voix pour qu'elle le rende à la directrice. Et puis, *hop !* après avoir vérifié si personne ne la regardait, elle l'avait fourré dans son sac et l'avait embarqué à la maison, où elle avait fait rire ses parents en parlant dedans. Elle avait failli le garder, mais elle ne se sentait pas très à l'aise ; alors, le lendemain, elle était venue à l'école avant tout le monde pour poser le porte-voix près de la salle des maîtres sans que personne la voie. Mais, soudain, elle avait aperçu la directrice, qui adore arriver très tôt, au bout de la rue. Paniquée, elle avait abandonné le porte-voix sur un muret avant de taper un sprint jusqu'à notre salle de classe.

– J'étais sûre qu'elle allait se mettre à ma poursuite en criant : « Mademoiselle Zoé, arrêtez-vous ! »

Son imitation de Clémentine Soleil nous a fait éclater de rire.

– Mais elle n'a pas vu le porte-voix posé sur le muret !

– Qu-quelqu'un d'autre l'a p-pris, alors…, a murmuré Antoine.

«Pendant tout ce temps, Zoé savait», ai-je pensé.

Elle savait que le porte-voix était passé de Dylan à «Aminalili», puis à Kevin, et ensuite à elle, bien sûr, qui l'avait perdu, et elle ne nous avait rien raconté. Ou peut-être avait-elle essayé de nous raconter quelque chose, mais elle n'y était pas arrivée. Je me suis mise à rugir doucement contre son épaule :

– Rrrr... Eh ben, dis donc, qu'est-ce que tu es devenue bavarde, ma Zoé !

Mais nous n'étions pas plus avancés. Personne ne savait où se trouvait le porte-voix. Ça ne nous dérangeait pas vraiment, on avait bien aimé écouter l'histoire d'Antoine, et jouer à «Action ou vérité». Pour fêter ça, on a englouti deux paquets de chips, et puis on s'est endormis sur les canapés du salon qu'on a un peu salis avec la farine qu'on avait encore sur nous. Voilà comment s'est terminée la nuit blanche.

7

À vendre :
porte-voix et bonne humeur

Après ce week-end qui nous avait un peu fatigués, sur le chemin de l'école nous avons aperçu Thé-à-la-menthe qui roulait lentement près de nous dans sa camionnette toute pourrie, sur laquelle il avait mis la pancarte : *À vendre, excellent état.* Je ne sais pas pourquoi il a écrit ça, vu que la portière de la camionnette tombe dès qu'il l'ouvre, que le rétroviseur est suspendu à un fil, et qu'un phare est cassé. D'après Antoine, ça fait au moins trente ans que la camionnette n'a pas été lavée, mais il

vaut mieux ne pas essayer de le faire parce que c'est la saleté qui la fait tenir debout, en collant ses différents morceaux les uns aux autres.

– Qu'est-ce qui se passe quand il pleut ? a demandé Julien.

Antoine a expliqué que, dans ce cas, Thé-à-la-menthe est obligé de conduire en levant les pieds parce que, sinon, ils sont mouillés chaque fois qu'il passe dans une flaque, à cause de tous les trous qu'il y a dans le sol de la camionnette.

– Mais tu viens de dire que, si on mettait une goutte d'eau sur cette camionnette, elle tomberait en morceaux ! a objecté Julien.

Mais Antoine ne l'écoutait pas du tout. Il a poursuivi :

– Et il tient un p-parapluie quand il conduit p-parce que la pluie entre aussi p-par le toit.

– Mais pourquoi il ne bouche pas au moins les trous du toit ? est intervenue Zoé.

– Parce qu'il f-faut que la p-pluie arrose la menthe qui pousse d-dans la camionnette.

– Mais si le sol de la camionnette est plein de trous, sur quoi la menthe est-elle posée ?

Nous nous sommes tous tus, le temps d'imaginer la camionnette où poussait de la menthe entre les trous du sol. Thé-à-la-menthe s'est mis à chantonner près de nous. Apparemment, il avait décidé de ne vendre aujourd'hui que des choses commençant par la lettre B :

– Bouillon, bougies, balais, boulons, brioches, bonne humeur !

Nous marchions derrière la camionnette, et nous y avons aperçu une corde sur laquelle se balançait du linge, une machine à laver où était posée une marmite dégageant une bonne odeur de soupe.

– Bidons, biscottes, boissons fraîches !

– J'ai des pièces dans ma poche, ai-je dit à Zoé. Je vais peut-être acheter quelque chose.

– Je me demande s'il vend des bagarres, a murmuré Julien, sarcastique. Ça commence aussi par un B.

– Oh, ça, on en a déjà assez, avec notre guerre dans les airs, sur mer et sur terre, lui ai-je répondu.

La rue était tranquille. La camionnette de Thé-à-la-menthe avait quasiment disparu, on ne voyait plus qu'un bout de drap se balancer à l'arrière, et on entendait sa voix résonner comme si elle sortait d'une télévision. J'avais l'impression d'être dans un film, sans très bien comprendre pourquoi.

– Écoutez ! ai-je soudain crié.

– Qu'est-ce qu'il y a à écouter ? Il répète les mêmes mots qui commencent par la lettre B. Boulons, bidons, boissons...

– Non, on s'en fiche, de ce qu'il dit ! Mais écoutez comme on l'entend bien !

On a tous tendu l'oreille, puis j'ai poussé Zoé en lui disant de courir le plus vite possible pour rattraper Thé-à-la-menthe, qui ne devait pas être bien loin.

Elle est partie à toute vitesse, et on l'a suivie en courant aussi. Zoé bondissait entre les obstacles et filait à la vitesse du vent. J'allais moins vite, et je me suis écorchée à un rosier. On a enfin aperçu Thé-à-la-menthe debout près de sa camionnette, en train de boire un thé brûlant tout en se dandinant, peut-être parce qu'il ne voulait pas que des racines lui poussent aux pieds. Et il avait le porte-voix de Clémentine Soleil en bandoulière ! Tout essoufflée, je lui ai dit qu'il fallait absolument que je l'achète parce que, sinon, un enfant allait être très sévèrement puni à l'école, et

que, même si cet enfant est parfois pénible et
mérite d'être puni, ça serait bien que, cette
fois, il ne le soit pas.

Thé-à-la-menthe est un homme très gentil et
peut-être qu'un jour, quand j'aurai le temps, je
lui achèterai un ballon pour mes petits frères.
Il a bu son thé brûlant et vert (à cause de la
menthe), et il a dit qu'il serait très heureux
de recevoir mes pièces ensorcelées, principa-
lement parce que le mot «pièce» commençait
par la lettre P, et il avait prévu de ne vendre

que des objets commençant par cette lettre le lendemain. Je lui ai tendu mes pièces. Il les a retournées et a souri. J'ai jeté un coup d'œil derrière moi pour vérifier si Julien n'entendait pas et j'ai ajouté :

– Et vendez-moi aussi de la bonne humeur, s'il vous plaît.

– Tiens, je te la donne en cadeau, parce que c'est ton jour de chance.

Il a emballé de la bonne humeur dans un sac plastique orange. Je l'ai ouvert discrètement pour regarder, persuadée qu'il n'y aurait rien dedans, parce que je suis comme Julien : je ne crois pas trop à toutes ces histoires. Et pourtant, dans le sachet, il y avait trois graines de pastèque séchées et un autocollant avec un smiley. Zoé a contemplé le sachet, les yeux écarquillés.

– Viens, lui ai-je dit. Tout va bien, maintenant.

C'est ainsi que je me suis débarrassée en même temps de mes pièces maudites et de la guerre. On avait gagné face à Dylan, et j'étais sûre que même Clémentine Soleil serait heureuse et fêterait la réapparition de son porte-voix en s'en servant partout dans l'école jusqu'à nous rendre dingues. Julien a remarqué que je souriais, et il m'a glissé :

– L'essentiel, c'est que tu as sauvé Dylan, hein ? C'était ça le plus important pour toi, non ?

– Pff... Qui pourrait s'intéresser à ce garçon ?

– Eh bien, moi, je ne comprends pas pourquoi tu es si contente. Tu as payé, et tu n'as
rien reçu en retour. Bon, tu as acheté de la
bonne humeur, mais où est-elle ? Donne, je
veux la toucher.

– Voilà, tiens.

Je lui ai tendu le sachet avec les graines et
l'autocollant, parce que je pensais qu'il méritait
vraiment de recevoir un peu de bonne humeur.
Il a souri – il est comme tout le monde, il
aime bien les cadeaux, même petits –, mais
il a continué à dire que tout ça, c'étaient des
bêtises, qu'on croyait n'importe quoi, comme
des bébés, et qu'en plus on n'avait pas trouvé
qui le poursuivait dans ses rêves. Et puis, que
cette histoire de pièces ensorcelées aussi était
stupide : je n'étais pas plus méchante quand
je les avais, et, maintenant que je ne les avais
plus, je n'étais certainement pas plus gentille.

Il a peut-être raison sur tout, Julien ; n'em-
pêche que, depuis que je n'ai plus les pièces,
je me fiche de savoir qui a gagné notre guerre

mondiale et je n'ai plus le courage de combattre les forces du Mal, mais ça ne change pas grand-chose à ma vie.

Un matin, j'ai trouvé Toto et Loulou, les deux hamsters de l'école, assis sur mon cahier de calcul, pile sur l'exercice que je n'avais pas réussi à faire. Ils s'empiffraient avec une poignée de graines. J'ai poussé un cri, avant de m'apercevoir qu'ils avaient encore plus peur que moi, mais ça n'a pas duré longtemps, ils ont recommencé à manger. Quand je me suis calmée, j'ai pensé que c'était génial qu'ils soient vivants, et qu'ils ne soient pas une invention d'Antoine. Ils avaient l'air de se protéger mutuellement, c'était mignon. J'ai demandé à Dylan s'il n'en avait pas marre de m'embêter, et s'il n'avait pas une idée plus bête que de poser deux hamsters sur mon cahier de calcul, et il a dit que non.

Et puis, un autre jour, j'ai demandé à Lili comment elle trouvait la force de se disputer avec tout le monde, tout le temps, et elle m'a répondu qu'elle ne m'avait pas sonnée et que je pouvais me mêler de mes affaires, ce que j'ai fait, parce qu'on ne peut pas toujours avoir le dernier mot.

Quand je suis rentrée à la maison, le chat s'est glissé sous une couverture avant d'attaquer Chouquette par surprise. Elle s'est défendue, et ils ont commencé à tourner dans toute la maison. Papa a dit que ça ressemblait à une nouvelle technique de combat sous-marin : la couverture était la mer et le chat, un bateau. Je lui ai répondu que, dans ce cas-là, je ne voulais pas attendre de voir qui allait gagner. Je voulais prendre Chouquette dans mes bras, parce que ma petite chienne est mon amie, et les amis, c'est ce qu'il y a de mieux dans la vie.

**Retrouve Julie et Chouquette
dans d'autres histoires !**

*Chouquette est l'adorable petite chienne
de Julie, vive et frétillante,
au pelage de toutes les couleurs...*

Seulement, voilà : Chouquette a disparu,
et Julie est désespérée.
Elle soupçonne Dylan, le caïd de la classe,
de l'avoir kidnappée pour se venger d'elle...
Comment le faire avouer ? Et où est Chouquette ?
Julie est bien décidée à la retrouver !

Chouquette est l'adorable petite chienne
de Julie, vive et frétillante,
au pelage de toutes les couleurs…

Et Chouquette court vite, très vite,
encore plus vite que Zoé. Pourtant, Zoé
est la plus rapide de l'école ; elle bat même
les garçons ! Et elle doit bientôt participer
à la grande course inter-écoles. Enfin…
si la directrice ne la punit pas.
Car un mystérieux admirateur lui cause
des problèmes en lui offrant du chocolat,
alors qu'il est strictement interdit
d'en apporter à l'école…

*Chouquette est l'adorable petite chienne
de Julie, vive et frétillante,
au pelage de toutes les couleurs…*

Oui, mais voilà : Chouquette est rentrée
d'une promenade avec un chat odieux,
qui s'est installé à la maison et griffe Julie
dès qu'elle l'approche. Comme si elle n'avait
pas assez de problèmes comme ça !
Car, à l'école, il y a une nouvelle tout aussi
insupportable et que tout le monde adore !
Même Zoé, la cousine de Julie, qui, maintenant,
la laisse un peu tomber…

Mis en pages par DV Arts Graphiques à La Rochelle
Imprimé en Allemagne par CPI-Clausen & Bosse
Achevé d'imprimer en avril 2016